Maryse Pelletier

Maryse Pelletier ... res, et au Conservatoir... ...ue dans plusieurs pièc... ...res textes de théâtre, d... le premier sera ... en scène au Théâtre d'Aujourd'hu... ... Huit autres suivront, notamment *Duo pour voix obstinées* qui lui vaudra le prix du Gouverneur général. De 1992 à 1996, elle assure la direction générale et artistique du Théâtre Populaire du Québec.

Depuis quelques années, Maryse Pelletier se consacre à l'écriture. À la courte échelle, en plus de ses livres dans la collection Roman Jeunesse, elle a publié quatre romans pour les adolescents dans la collection Roman+. *Une vie en éclats* a été finaliste au prix du livre M. Christie et au prix du Gouverneur général. Quant à *La musique des choses*, qui a été traduit en italien, il fait partie de la Sélection White Ravens de la Bibliothèque internationale de la Jeunesse. Maryse est aussi l'auteure de deux romans pour les adultes, *L'odeur des pivoines* et *La duchesse des Bois-Francs*. En 2003, sa pièce *Cabano P.Q.* a remporté le concours d'écriture dramatique Douze en scène.

Comme scénariste, Maryse Pelletier a participé à l'écriture de nombreuses émissions de télévision, dont *Graffiti*, *Iniminimagimo* et *Traboulidon*. De plus, elle a longtemps étudié le piano. Elle a d'ailleurs été lauréate en piano de l'Université de Moncton.

Gabrielle Grimard

Depuis qu'elle est toute petite, Gabrielle Grimard se passionne pour le dessin, et c'est tout naturellement qu'elle a poursuivi des études dans ce domaine. Aujourd'hui, elle est illustratrice, et elle a peint des murales qu'on peut voir sur les murs de plusieurs édifices montréalais. Gabrielle vit à la campagne et partage son temps entre son atelier, son jardin, sa basse-cour et sa petite famille.

Maryse Pelletier

LA CHASSE AUX FLÈCHES

Illustrations
de Gabrielle Grimard

la courte échelle

Les éditions de la courte échelle inc.
5243, boul. Saint-Laurent
Montréal (Québec) H2T 1S4

Direction littéraire et artistique:
Annie Langlois

Révision:
Sophie Sainte-Marie

Conception graphique de la couverture:
Elastik

Conception graphique de l'intérieur:
Derome design inc.

Mise en pages:
Mardigrafe inc.

Dépôt légal, 3ᵉ trimestre 2004
Bibliothèque nationale du Québec

Copyright © 2004 Les éditions de la courte échelle inc.

La courte échelle reconnaît l'aide financière du gouvernement du
Canada par l'entremise du Programme d'aide au développement de
l'industrie de l'édition pour ses activités d'édition. La courte échelle est
aussi inscrite au programme de subvention globale du Conseil des Arts
du Canada et reçoit l'appui du gouvernement du Québec par
l'intermédiaire de la SODEC.

La courte échelle bénéficie également du Programme de crédit d'impôt
pour l'édition de livres — Gestion SODEC — du gouvernement du
Québec.

Données de catalogage avant publication (Canada)

Pelletier, Maryse

La chasse aux flèches

(Roman Jeunesse; RJ134)

ISBN 2-89021-725-6

I. Grimard, Gabrielle. II. Titre. III. Collection.

PS8581.E398C522 2004   jC843'.54   C2004-941278-7
PS9581.E398C522 2004

À tous les descendants des Malécites du Témiscouata. Pour que leur mémoire et leur histoire se perpétuent.

Remerciements à M. Rock Belzile, président de la Société d'histoire et d'archéologie du Témiscouata.

Chapitre I
Premier jour

Il fait beau, c'est l'été, l'eau clapote, les feuilles frissonnent et trois enfants rigolent. Ce sont Maude, dix ans, son frère Simon, douze ans, et leur cousine Camille, treize ans, qui pique-niquent. Leurs rires résonnent par-dessus les arbres, presque jusqu'au village de Val-des-Bois.

Quand Simon, en matinée, a proposé l'excursion, la grande Camille a rouspété:

— Il y a trop de moustiques, dehors!

Devant l'air ahuri de ses deux cousins, elle s'est empressée d'ajouter:

— C'est une blague!

Maude s'est réjouie:

— On rôtira des saucisses sur le feu!

— Et des guimauves! a renchéri Simon qui adore les sucreries.

Voilà pourquoi ils sont assis tous les trois sur le sol, autour d'un feu. Maude fait le clown, Simon l'encourage et Camille jase sans arrêt. Ils se tiraillent, lancent des cailloux plats dans l'eau et se roulent par terre tellement ils s'amusent.

Ces trois-là s'entendent à merveille. Camille n'habite pas Val-des-Bois, mais elle s'y rend en visite très souvent, juste pour le plaisir.

Sur les conseils des parents de Simon et Maude, les trois complices ont choisi un endroit magnifique pour pique-niquer. Il s'agit d'une pointe de terre où la rivière Douce se jette dans le grand lac Caillé.

Loin devant eux, surplombant le lac, est installé Val-des-Bois, d'où ils sont venus à bicyclette. Et, loin derrière, s'étend un boisé épais qui grimpe jusqu'en haut de la montagne. Aucun danger, donc, quand on fait un feu sur la grève.

Les trois cousins ont mangé les saucisses, du pain grillé, et ont brûlé presque toutes les guimauves. Ils sont si absorbés par leurs jeux qu'ils en oublient l'heure et le soleil qui descend.

Même Maude, la plus sérieuse des trois, s'est laissé emporter. Soudain, elle bondit:

— Ah non! On a dit à maman qu'on l'accompagnerait pour ses courses! Quelle heure est-il?

Camille regarde sa montre, l'air surpris.

— Oh! vite, rentrons! Elle doit nous attendre.

Elle déplie ses longues jambes pour se remettre debout.

— Il faut éteindre le feu et disperser les cendres, rappelle Simon.

Les trois cabriolent vers l'eau, Simon et Maude vers la rivière et Camille en direction du lac. Ils remplissent leurs gamelles et reviennent à pas prudents vers le feu mourant. Ils y vident leur eau, et la cendre vole, retombant sur leurs chaussures et le bas de leurs pantalons.

— Zut! maugrée Maude en se penchant pour se nettoyer.

Les deux autres s'accroupissent et brossent de la main leurs souliers couverts de poussière grise.

— Hé! regardez! s'écrie Camille en montrant du doigt le tas de cendres fumantes.

À première vue, Simon et Maude ne distinguent rien. Tout est gris foncé dans le tas de charbon. Puis un petit objet se détache de l'ensemble, un objet solide avec une drôle de forme. Camille le saisit.

— Ouille!

Il est si brûlant qu'elle l'échappe.

Pendant qu'elle souffle sur ses doigts, Maude court jusqu'au lac et en rapporte un peu d'eau. Elle la verse sur l'objet qui fume en refroidissant. Elle le prend à son tour:

— Bizarre! Un triangle de pierre…

Simon allonge le nez.

— Ce caillou est trop bien proportionné. Il a été taillé, il me semble…

— Oui, le bout a été aiguisé, juge Maude, les yeux brillants. On croirait une pointe de flèche!

— Impossible! affirme Camille, incrédule.

Simon insiste et lui tend le caillou, qu'elle prend et observe avec attention. Puis elle lève la tête, ravie:

— On vient de faire une découverte importante!

Pendant un instant, les trois contemplent ce qui a tout l'air d'être, en effet, une pointe de flèche taillée à la main. Une pointe de flèche qui pourrait être là depuis longtemps, très longtemps.

— On a pique-niqué sur un site archéologique! s'émerveille Camille.

— Peut-être, murmure Maude, impressionnée. Peut-être.

* * *

Les trois enfants, passionnés par leur trouvaille, ont oublié leur rendez-vous avec Arlène, la mère de Simon et de

Maude. Ils se sont remis à fureter dans les cendres, à tâter des pierres aux alentours, à creuser la terre en surface.

La moindre roche ayant une forme particulière les enchante.

— Tiens, s'exclame Camille, un autre trésor!

Maude, après avoir examiné l'objet, déclare:

— Ce n'est rien!

Et Camille, dépitée, proteste. Mais elle voit bien que, dans son enthousiasme, elle confond les jolies pierres avec des richesses archéologiques.

— Heureusement que Maude est là, sinon je déplacerais des montagnes pour rien!

Le jour est tombé, ils ne voient plus rien et, fourbus, ils se résignent à cesser leurs fouilles. Ils rassemblent les pièces de leur trésor, constitué à la fin de trois objets qui pourraient être des pointes de flèche.

— Les Amérindiens ont vécu ici, affirme Simon.

— C'est sûr, approuve Camille, convaincue.

— Pensez-vous que c'était un village ou juste un endroit de passage? demande Maude.

Les deux autres restent bouche bée, incapables de répondre à la question.

Affamés, les enfants se décident enfin à rentrer chez eux avec leurs trouvailles dans leurs sacs à dos. Sur la route du retour, ils ont la tête pleine d'étoiles.

* * *

À la maison, Arlène et Francis, les parents de Simon et de Maude, ont vite oublié le retard des enfants. Ils ont été captivés par les objets rapportés du bord de la Douce.

Francis, journaliste qui connaît son coin de pays, s'est rappelé la découverte de sites archéologiques dans la région au cours des dernières années. Si les objets devant lui sont de vrais artefacts, ils révéleraient la présence du premier site à Val-des-Bois.

Les enfants, heureux, entreprennent une danse triomphante autour de la table. Francis et Arlène rient et tentent de les calmer.

— Arrêtez! ce n'est pas certain! prévient Arlène. Nous ne sommes pas des experts et vous non plus!

— Demain, j'apporterai vos trouvailles à mon ami Arthur, promet Francis. Il est archéologue, il nous dira ce qu'il en est vraiment.

Les enfants refusent d'entendre raison. Il n'est pas question que leurs cailloux pointus soient autre chose que des trésors anciens.

Déjà, ils envisagent de demander à leurs instituteurs de visiter l'endroit avec tous les élèves. Mieux, ils prévoient que Val-des-Bois deviendra un centre touristique. Les amateurs d'archéologie du monde entier y passeront leurs vacances pour apprendre le mode de vie des Amérindiens.

Francis et Arlène les écoutent en silence, souhaitant que leurs espoirs ne
soient pas déçus. Quelquefois, il y a un
fossé infranchissable entre les rêves et la
réalité.

Chapitre II
Deuxième jour

Le lendemain matin, les enfants ont perdu un peu de leur enthousiasme. Et si leur découverte n'en était pas une? S'ils s'étaient trompés?

Ils décident de retourner au bord de la Douce pour en avoir le coeur net.

Au moment où ils longent le lac à bicyclette, leur attention est attirée vers le site où ils ont pique-niqué la veille.

— Hé! s'exclame Simon qui a des yeux de lynx, il y a un homme là-bas!

— Vite, il va voler notre trésor, lance Camille, mi-sérieuse, mi-blagueuse.

Le soleil tape et il n'y a pas un souffle de vent. La route monte et descend, descend et monte. Les enfants pédalent. Ils s'essoufflent, ont des crampes aux mollets, transpirent.

Ils arrivent finalement à destination. Des rubans jaunes délimitent les berges un peu avant la jonction du lac et de la

rivière, et pénètrent dans la forêt sur une centaine de mètres. Le terrain circonscrit est immense, et inclut l'endroit du pique-nique.

Un homme de forte stature parcourt l'espace, l'examinant sous ses diverses facettes. Il évalue la taille des arbres, des rochers. Il calcule la distance entre les deux pointes extrêmes du terrain, ainsi qu'entre la grève et la forêt.

Franchissant les rubans, les enfants le rejoignent.

— Monsieur, qu'est-ce qui se passe? demande Simon, paniqué.

L'homme le regarde, surpris.

— Ça ne te concerne pas, je pense, répond-il, calme.

Camille et Maude s'avancent à leur tour.

— C'est parce que…

Maude hésite à continuer, ne sachant si elle doit révéler leur secret.

— Est-ce que vous avez trouvé quelque chose d'important? enchaîne Camille, habile.

L'homme éclate de rire.

— Oh oui, j'ai trouvé que c'était un très bel endroit pour construire.

Les enfants sont abasourdis.

— Il ne faut pas toucher au terrain! s'écrie Simon.

— Et pourquoi pas? réplique son interlocuteur.

Camille s'enhardit:

— Parce que c'est un site archéologique amérindien!

L'homme hausse les épaules.

—Ah bon? Est-ce qu'un archéologue vous l'a confirmé?

Simon avoue:

— Non, pas encore…

— N'inventez pas n'importe quoi, les enfants. C'est important, un site archéologique.

Devant les protestations qu'il reçoit, le géant ajoute:

— J'ai le contrat pour construire, je vais construire, un point c'est tout.

— Êtes-vous le propriétaire du terrain? insiste Simon.

L'homme leur tourne le dos sans répondre, désormais sourd aux questions.

Les enfants sont consternés. Comment une personne normale peut-elle écarter du revers de la main une découverte

25

semblable? Ils se retournent et, la tête basse, s'éloignent.

L'homme, de loin, les regarde partir, perplexe. Puis il poursuit son analyse du terrain avec plus d'attention.

* * *

Simon, Maude et Camille ne sont jamais à court d'idées. Après avoir erré, déconfits, pendant une demi-heure, ils se ressaisissent et déterminent un plan d'action.

D'abord, il faut savoir si les pierres taillées sont des artefacts d'origine ancienne. Ensuite, une fois l'importance de ces objets confirmée, ce dont ils ne doutent pas, ils iront informer le propriétaire du terrain.

Pour trouver ce propriétaire, Simon et Maude disposent d'une source d'information: leur mère Arlène, qui travaille chez un notaire. Qui de mieux qu'un notaire connaît le nom des propriétaires de Val-des-Bois?

Sitôt dit, sitôt fait, les voici rendus au bureau.

Arlène ouvre des yeux ronds, surprise

de ne pas avoir entendu parler du projet de construction au bord de la Douce. Il est vrai que le terrain a été vendu il n'y a pas longtemps.

Chose rare à Val-des-Bois, le nouveau propriétaire ne s'est pas présenté en personne. Tout s'est passé comme s'il ne voulait pas se montrer ou n'en avait pas eu le temps, pris par d'autres obligations.

Or, c'est un des plus beaux endroits de la région. Il est immense, bien situé, et la vue qu'on y a sur le lac et le village est splendide.

— Je vais entreprendre une recherche, les enfants, et je vous en donnerai les résultats ce soir, promet Arlène.

* * *

Près de la Douce, à l'orée du boisé, le géant aux cheveux noirs s'est agenouillé. Après avoir terminé son travail pour la journée, il est resté sur place. Mû par la curiosité, par un intérêt qui lui vient du fond du coeur, du plus loin de son histoire personnelle.

Il s'est accroupi. D'un geste doux, il fait rouler dans sa grande main un petit caillou taillé en forme de pointe.

Il regarde le village et la forêt derrière lui. Puis il lève la tête vers le ciel, le visage douloureux.

* * *

À la fin de l'après-midi, c'est le branle-bas chez Francis et Arlène. La maison est devenue une centrale où se concentrent les informations provenant de diverses sources.

D'abord, Francis raconte la conversation qu'il a eue avec son ami Arthur, archéologue et historien. Ce dernier était heureux de confirmer que les cailloux trouvés par les enfants sont, en effet, des pointes de flèche. Il aurait voulu courir au bord du lac pour satisfaire sa curiosité, sauf qu'il partait en voyage pour deux semaines.

— Dis aux enfants de ne rien toucher, ils risquent de casser des objets précieux, a-t-il recommandé à Francis.

Camille dédaigne cette mise en garde:

— On sait être délicats!

Arthur a raconté qu'autrefois les Amérindiens se déplaçaient sur le territoire. En canot d'écorce, ils allaient chasser, pêcher, se procurer des armes, rencontrer les autres tribus.

Ce sont les Malécites qui habitaient la région, mais différentes tribus empruntaient la Douce pour se rendre jusqu'au lac Caillé. Les hommes venaient chercher le chert, une

sorte de silex qu'ils taillaient pour fabriquer des outils ou des armes.

— Nos pointes de flèche sont en chert, alors? demande Maude.

— Exact, confirme son père.

C'est au tour d'Arlène d'intervenir. Elle a obtenu le nom du propriétaire du terrain. En fait, il s'agit d'une propriétaire, nommée Loiseau, résidant à Montréal. Elle est veuve et reconnue comme une femme d'affaires redoutable. Elle possède plusieurs propriétés dans la province de Québec, et c'est la première qu'elle achète à Val-des-Bois.

Sa réputation est celle d'une personne qui sait ce qu'elle veut et qui ne se laisse arrêter par aucun obstacle.

— Elle peut être difficile à convaincre, en déduit Simon.

Arlène, cependant, n'a aucune indication de l'endroit où on pourrait joindre cette dame.

— Habituellement, j'ai au moins un numéro de téléphone, souligne-t-elle, mais là, rien!

L'impossibilité de communiquer avec la dame est un obstacle de taille. Comment empêcher la construction sur un terrain dont la propriétaire est introuvable?

Chapitre III
Troisième jour

Le lendemain matin, les enfants partent tôt pour arriver sur le site les premiers. Ils veulent continuer à fouiller le sol. Plus ils trouveront d'objets, plus ils auront d'arguments pour convaincre la propriétaire que l'endroit doit être préservé.

Le soleil se lève à peine quand ils atteignent leur but. Ils se glissent sous les rubans et se rendent là où ils ont allumé un feu avant-hier. Ils ont apporté des pelles de jardinage et des brosses douces pour s'aider dans leur tâche.

Ils s'agenouillent, scrutent la terre, les herbes, soulèvent des mottes avec soin. Quand un trou ou une bosse apparaît, ils creusent à petits coups, avec délicatesse.

Au bout d'une heure, ils n'ont couvert que quelques mètres carrés. Camille s'assoit sur le sol, découragée.

— C'est beaucoup trop grand.

Elle regarde la zone sans arbres, immense et propice à l'établissement d'un campement ou d'un village. Il faudrait des jours et des jours pour l'explorer. Et le boisé, derrière, est encore plus vaste.

— On ne finira jamais, se lamente Maude à son tour.

— Peu importe, les encourage Simon. Faisons notre possible! Pour la suite, on verra!

Après un soupir, ils se remettent à la tâche avec une ardeur renouvelée.

Ils sont si absorbés qu'ils n'entendent

pas un homme s'approcher d'eux. Un homme qui foule la terre avec souplesse.

Au son de sa voix, les enfants sursautent.

— Avez-vous découvert autre chose?

Surpris, ils lèvent la tête et se retrouvent face à face avec le géant qui les regarde avec bienveillance.

— Euh... non, hésite Camille. Allez-vous nous chasser?

L'homme fronce les sourcils. Il ne comprend pas la question.

— Est-ce que vous commencez déjà à travailler? À construire? précise Camille.

— Non, la rassure l'homme. C'est demain, la construction.

— Attendez quelques jours de plus, supplie Maude.

— Je ne suis pas celui qui donne les ordres. Quand on m'engage avec ma machine, je fais mon travail.

— Quelle machine avez-vous? s'enquiert Simon.

Sans un mot, l'homme sort d'une de ses poches trois pointes de flèche, jolies et fines. Puis il extrait un outil de pierre taillée dont une extrémité est large et plate, et l'autre cylindrique.

— Qu'est-ce que c'est? veut savoir
Maude.

— Un grattoir, je crois. Il est ancien.

Il tend ses trésors à Maude.

— Prends-en bien soin, recommande-
t-il.

Simon et Camille, curieux, se joignent
à Maude pour examiner les nouveaux objets. Au même moment, on entend le moteur d'un véhicule qui ralentit sur la
route. Le géant s'éloigne sans demander
son reste, aussi discrètement qu'il est arrivé.

Les enfants se regardent, incertains.
Drôle de numéro! Hier, l'homme leur a
nui et, aujourd'hui, il les aide. Que veut-il,
au juste?

Ils n'ont pas le temps de décoder

l'énigme, le véhicule quitte la route principale et emprunte le sentier raboteux menant jusqu'à eux.

Camille ronchonne:

— Zut! On est encore obligés d'arrêter nos fouilles!

La jeep s'arrête au bord du terrain, près des rubans. Une femme en descend. Ses cheveux gonflés sont pleins de fixatif et elle porte une jupe étroite et une veste à carreaux rouge et noir.

Camille, qui déteste tous les vêtements à carreaux, rigole et chuchote à l'intention de ses cousins:

— Je gage que c'est la propriétaire! Elle doit être une sorcière…

Simon et Maude répriment un rire. Ils ont d'autant plus de difficulté que la dame est comique. Juchée sur de hauts talons, elle peine pour avancer sur le terrain inégal et caillouteux.

Elle se dirige vers eux et les interpelle:

— Que faites-vous ici, mes amis?

Encouragée par le ton amical, Maude s'enhardit:

— Est-ce que vous êtes la propriétaire?

— Oui. Je viens rencontrer mon employé, il n'est pas encore arrivé?

Chic! Voilà l'occasion d'expliquer à la dame la valeur et l'importance du terrain qu'elle vient d'acheter.

Ils s'y emploient avec ferveur.

Ils parlent de Val-des-Bois, du Caillé et de la Douce qu'ils aiment. Ils racontent que les Amérindiens vivaient ici avant eux, qu'ils ont laissé des traces. Ils finissent par lui montrer les pointes de flèche que l'homme aux cheveux noirs leur a remises.

Elle les écoute, de plus en plus impatiente. L'histoire ne l'intéresse pas, c'est clair. Ses talons aiguilles la fatiguent et, avec sa jupe étroite, elle n'ose pas s'asseoir sur les cailloux.

Quand le trio, après sa longue explication, conclut en lui demandant de retarder la construction, elle a un petit rire gêné.

— Les enfants se prennent au sérieux, à notre époque! Allez donc jouer ailleurs!

Camille, qui bout déjà, se permet d'insister.

— Attendez un peu, madame. Sinon vous risquez de détruire quelque chose d'important!

— Un morceau de notre histoire, ajoute Simon avec passion.

— Mon immeuble est destiné à loger des personnes âgées, c'est plus valable que trois cailloux. Quant à vous, les jeunes, vous êtes sur un terrain privé. Vos parents ne vous ont pas informés que vous n'en avez pas le droit? Allez, ouste, on s'en va! termine-t-elle d'un ton sévère.

Leur faisant signe de la suivre, elle s'éloigne en valsant sur ses échasses.

— Ouille! crie-t-elle soudain en se tordant la cheville.

Grimaçant de douleur, elle lève la jambe dans les airs. Mauvaise idée. Avec ses hauts talons, elle est déséquilibrée. Pour éviter de tomber, elle recule à cloche-pied, si vite et si loin qu'elle est bientôt à un mètre du lac.

Elle est sur le point d'y plonger quand

Simon, galant, se précipite vers elle pour la soutenir.

Elle le remercie d'un ton bourru.

— Aide-moi à me rendre à la jeep. Mon employé doit m'attendre au village. Et après, à la maison! Sans délai!

La jeep partie, les filles rejoignent Simon.

— J'en étais sûre, c'est une sorcière! triomphe Camille, déclenchant le rire de ses cousins.

Leur hilarité est de courte durée. Le site archéologique qu'ils croient avoir découvert est devenu plus difficile à défendre.

Comment prouver que quelques bouts de pierre taillée et un grattoir sont plus utiles qu'une résidence pour personnes âgées? La question mérite réflexion.

* * *

Quand la jeep et les enfants ont disparu, le géant sort de la forêt.

S'étant assuré d'être seul, il recommence ses patientes recherches.

Mais il ne trouve rien. Il est préoccupé.

Ce sera bientôt l'heure de rencontrer la propriétaire. Il avait reporté leur rendez-vous à cet après-midi, elle l'avait probablement oublié.

Il soupire.

Tant pis pour tous les autres artefacts enfouis dans le sol. Lui n'a plus le temps ni le loisir d'en chercher. Il va devoir compter sur le trio des enfants, désormais, pour les sauver de la destruction.

* * *

Ce soir-là, Maude, Camille et Simon ont du mal à s'endormir.

Longtemps, ils ont discuté de stratégies pour persuader la propriétaire de repousser son projet de construction. Ils en ont finalement retenu une.

Ensuite, il a fallu convaincre Francis et Arlène que c'était la meilleure afin d'obtenir leur permission et leur soutien. C'est que leur plan comporte des risques.

Ils sont inquiets. Si les choses tournaient mal? Si leurs efforts étaient inutiles?

À travers leurs pensées confuses, l'image du géant revient. Qui est ce type? Il a quelque chose de particulier, mais quoi?

Chapitre IV
Quatrième jour

Le lendemain matin, un spectacle inusité se déroule à la jonction du lac Caillé et de la rivière Douce.

Trois tentes colorées s'élèvent à toute vitesse à trois endroits différents sur le terrain. Devant chaque tente, une personne étend un sac de couchage et s'y installe. Près de chacune est posé un sac à dos contenant du pain, des pâtés, des bouteilles d'eau et quelques légumes.

Une fois assises, les trois personnes respirent mieux. Il s'agit de Simon, de Maude et... de Francis, dont l'aide a été nécessaire puisque Camille est temporairement retenue ailleurs. Il fallait occuper l'endroit très tôt, avant que la propriétaire se pointe et décide de les chasser.

Et comme la musique adoucit les moeurs, les enfants ont apporté des instruments. Maude dépose sa flûte sur ses

genoux et Simon sort son harmonica qu'il fait briller sous le soleil levant.

Quant à la grande Camille, qui les rejoindra bientôt, elle joue du piano, ce qui ne sera pas très pratique dans les circonstances.

— À la place, je vais chanter, a-t-elle déclaré sans hésiter.

Et, devant l'air ahuri de ses deux cousins, elle s'est empressée de rectifier:

— C'est une blague!

Elle apportera donc un gros sifflet que Simon lui a offert à Noël.

— On ne sait pas, ça pourrait être utile!

Quand les préparatifs sont terminés, Francis n'a plus qu'à retourner au village chercher Camille.

Simon et Maude, restés seuls, se parlent de loin.

— Qui la propriétaire va-t-elle chasser d'abord, tu penses? s'enquiert Maude.

— Toi, bien sûr!

Maude soupire, mécontente. Pourquoi les adultes s'attaquent-ils toujours aux plus petits?

En attendant, ils mordent dans leur premier sandwich de la journée. Pressés d'arriver à temps, ils n'avaient rien avalé encore. Vite, que Francis revienne avec Camille!

* * *

Elphège, père de Francis et grand-père des trois enfants, habite Val-des-Bois, dans une vieille maison non loin de la rue Commerciale. Menuisier à la retraite, il répare, défait et refait sa maison, de telle sorte qu'il vit dans un chantier perpétuel.

Avant de frapper à sa porte et d'entrer, Camille hésite. Autant Francis est avenant et communicatif, autant Elphège est timide. Il aime bien les gens, mais il ne sait pas comment le montrer. Alors on ignore ce qu'il pense et de quelle façon il réagira.

C'est pourtant Camille qui a proposé de le rencontrer.

— Il ne me voit pas souvent, il acceptera plus facilement, a-t-elle expliqué.

Elphège a plusieurs amis de son âge. Certains d'entre eux ont dû entendre parler de l'immeuble à venir, d'autres ont peut-être l'intention de s'y installer.

Camille veut donc demander deux choses à son grand-père. Premièrement, qu'il parle du site archéologique à ses amis. Deuxièmement, qu'il les persuade de se prononcer contre la construction sur ce terrain.

Voudra-t-il assumer cette tâche? Elle n'en est pas certaine.

Quand elle rejoint son grand-père, il mange seul devant un mur démoli.

— Tiens, j'avais justement besoin d'aide, dit-il en indiquant les montants dégarnis.

Elle avale de travers. Est-il sérieux ou pas? De plus, il adore prendre son temps. Or, elle doit faire vite.

Sans relever la remarque, elle lui tend un pot de confiture de fraises, ses préférées, et lui raconte son histoire. Elle termine en insistant, gentille:

— Il faudrait que tu te dépêches, grand-papa. Mme Loiseau veut commencer la construction ces jours-ci.

Elphège réfléchit, le nez dans son assiette, l'air sombre, quand Francis entre en coup de vent.

— Viens, Camille, il faut retourner là-bas. Alors, papa, vas-tu nous aider?

Pour toute réponse, Elphège grommelle:

— Je vous répondrai quand vous aurez un moment pour vous asseoir!

Dans la voiture, Francis rassure Camille:

— Il commence toujours par dire non, avant de changer d'idée.

— Pas toujours, marmonne Camille, dépitée.

* * *

Sur le terrain, Maude et Simon font face à une situation nouvelle. Ils se taisent, aux aguets. Ils ont entendu un bruit distinct se rapprocher. Le vrombissement d'un moteur, un rugissement inconnu, effrayant, trop puissant pour être celui d'une voiture.

Quand ils aperçoivent le mastodonte qui avance vers eux, ils n'en croient pas leurs yeux.

Conduite par le géant aux cheveux noirs, une machine jaune roule sur le terrain. Propulsée par d'immenses chenilles, elle est équipée d'une pelle de la dimension d'un baril, au bout d'un bras articulé aussi long qu'une maison.

À l'arrière, la suivant telle une mouche qui colle aux flancs d'un cheval, arrive une jeep. C'est celle de la propriétaire, qui porte une veste rayée cette fois.

Elle ne manque pas de voir que son terrain est occupé. Sans hésiter, elle descend de son véhicule et, comme Simon l'avait prévu, fonce sur Maude. Ses hauts talons rendent son périple sinueux. N'empêche. Sa fureur lui donne de l'allant.

Elle ordonne sèchement à Maude de partir. La petite sourit sans bouger. La dame insiste. Maude prend sa flûte et commence à jouer un air entraînant.

Refusant de céder, Mme Loiseau se dirige vers Simon, à qui elle intime le même ordre.

Celui-ci, à son tour, sort son instrument et se joint à sa soeur. La musique, accompagnée par le clapotis des vaguelettes contre les cailloux de la berge, est très jolie.

Posant les mains sur ses hanches, nullement charmée, la dame déclare, résolue:

— Vous l'aurez voulu!

Elle se tourne vers le géant aux commandes de la pelle et lui signale d'avancer vers les occupants pour les déloger.

Il fronce les sourcils, incrédule.

Elle insiste.

— C'est moi qui vous paie, obéissez!

Les enfants cessent de jouer. Oui, l'homme leur a donné des pointes de flèche, mais il leur a aussi dit qu'il accomplirait son travail. Alors il va avancer vers eux.

Son visage, dans la cabine vitrée, est sans expression. Au volant de son mastodonte, dans un bruit d'enfer, il progresse vers Simon à la vitesse d'une tortue.

Maude, nerveuse, regarde son frère et lui fait un signe entendu. Au cas où il ne s'en souviendrait pas, c'est le moment de mettre à exécution la stratégie de dispersion.

Quand la pelle est à quelques mètres de lui, Simon se lève. Laissant son sac à dos et sa couverture sur place, il décampe et se réfugie derrière l'arbre le plus proche.

— Excellent! clame Mme Loiseau.

Le géant pourrait écraser l'arbre pour avoir accès à l'enfant. Il décide plutôt de virer et de se diriger vers Maude. Il a à

peine amorcé son mouvement que Simon vient se rasseoir devant sa tente.

— Non! Non! hurle la propriétaire.

Quand la machine est rendue près d'elle, Maude se sauve à son tour derrière un rocher. Après une seconde d'hésitation, la pelle retourne vers Simon.

Pendant ce manège, Francis et Camille sont revenus. Francis veut intervenir, inquiet pour les enfants, mais un signe du géant l'en empêche. L'homme au volant de la machine indique qu'il maîtrise la situation.

Alors Francis sort sa caméra et son magnétophone. En un tournemain, il installe son équipement et filme la scène.

Camille, de son côté, attire l'attention du conducteur avec deux coups de sifflet bien envoyés.

— Viens me chercher moi aussi! crie-t-elle.

Puis elle court s'asseoir devant sa tente pour prêter main-forte à ses deux cousins.

S'approchant de la pelle mécanique, Francis tourne la scène. Un mastodonte puissant cherchant querelle à trois enfants, quelle belle histoire pour les nouvelles! C'est la bataille de David contre Goliath!

Soudain, Mme Loiseau l'aperçoit. Déchaînée, elle fonce sur lui en hurlant:

— Qu'est-ce que vous faites ici?

— Un reportage! Je suis journaliste, madame.

La dame se calme. Elle ne peut pas chasser un journaliste, c'est impensable. Elle choisit plutôt de s'adresser à la caméra.

— Je construis ici un immeuble pour personnes âgées. On en a besoin dans la région. Il sera beau, chic, avec une vue splendide. Je ne vois pas pourquoi on essaie de m'en empêcher!

Elle termine par un sourire charmeur et s'éloigne dignement vers sa jeep, dans laquelle elle monte.

Crrrrac! Sa jupe étroite ne supporte pas le coup, elle se fend jusqu'en haut de la cuisse! Honteuse, la conductrice referme la porte. De sa fenêtre, elle s'adresse aux enfants une dernière fois:

— Je commence la construction demain, tenez-le-vous pour dit!

Puis elle démarre.

La camionnette disparue, le géant aux cheveux noirs arrête le moteur de sa machine et en descend. Il rejoint Francis, s'assure que la caméra est éteinte, et va retrouver Simon. Il lui tend d'autres petits objets: pointes de flèche, grattoir et éclats de verre.

— Je viendrai tôt demain matin. Soyez là.

Simon ouvre grand les yeux.

— Euh… merci. Pourquoi?

Le géant esquisse un sourire, indique sa machine en clignant de l'oeil:

— Pensez à ce qu'on peut faire avec la machine. D'accord?

— D'accord! répond Simon, séduit par la proposition.

L'homme tourne le dos aux enfants et, d'un pas souple, il s'éloigne sur la grève, en direction opposée à celle du village.

Quelques instants plus tard, Mme Loiseau est devant M. Michaud, maire de Val-des-Bois.

Il avait entrepris sa journée de façon normale, en saluant ses employés et en signant quelques lettres. Quand on l'a informé qu'une dame vêtue d'un costume un peu défraîchi demandait à le voir, il a hésité. Puis il s'est dit que l'habit ne fait pas le moine et a ouvert sa porte.

Il ne le regrette pas. Malgré le petit inci-

dent fâcheux arrivé à sa jupe, cette dame a des choses très intéressantes à raconter. Son projet de construction est important.

Val-des-Bois est un village prospère, certes, mais un immeuble pour personnes âgées attirerait des gens d'ailleurs. Cela augmenterait la population et les revenus de la municipalité. En tant que maire, il doit appuyer tous les projets qui peuvent accroître la prospérité de son village.

Quand la dame sort de son bureau, il a oublié que sa jupe est dans un piteux état. Il se promet de régler dès le lendemain le problème qu'elle lui a soumis.

Des jeunes vandalisent son terrain, refusant de laisser passer les ouvriers et les véhicules. Vraiment, de nos jours, les enfants ne savent plus respecter le bien d'autrui!

* * *

De retour au village en début d'après-midi, Maude, Simon et Camille ne perdent pas une minute. Leur bataille, ils ne la gagneront pas seuls. Ils sont certains de rallier tous leurs amis à leur cause, à condition qu'ils les informent.

Ils enfourchent donc leurs vélos et se dispersent dans les rues. Même Camille, qui n'est pas de Val-des-Bois, se met de la partie. Elle appuie ses cousins, montrant les pointes de flèche et les grattoirs.

Ainsi ils roulent de maison en maison, jasant, racontant, s'enflammant, jusqu'à la fin de la journée.

* * *

Le soir, le reportage de Francis est diffusé à la télévision régionale. Il a l'effet d'une bombe. Aussitôt, le téléphone de la station ne cesse de sonner. Les spectateurs veulent en savoir plus long, donner leur opinion, exprimer leur accord ou leur désaccord.

Francis en informe les enfants, qui sont fous de joie. En cinq minutes, la télé a multiplié par cent le nombre de sympathisants à leur cause. L'idéal serait que ces gens viennent occuper le terrain avec eux. Mais c'est difficile de faire bouger ensemble tant de monde.

Le trio est préoccupé. L'urgence demeure de retarder la construction un jour de plus. Comment y parvenir?

Mme Loiseau a raison: quand ils sont chez elle sans sa permission, ils sont dans l'illégalité. Si un policier leur demande de partir, ils devront s'exécuter et, alors, adieu les vestiges amérindiens, les visites scolaires et les touristes!

Soudain, Francis songe aux autorités municipales.

— Demain matin, je parlerai de notre projet au maire Michaud! promet-il, décidé.

Selon lui, le maire sera très intéressé et fera pression sur Mme Loiseau pour qu'elle reporte sa construction. Il la convaincra que, par sa précipitation, elle risque de briser quelque chose de précieux!

Quant à grand-papa Elphège, il ne s'est pas manifesté. Les tentatives pour le joindre ont échoué. Les appuiera-t-il ou pas? Personne n'en a la moindre idée.

Quand les enfants se couchent, ils ont autant d'espoirs que d'incertitudes. Le pire est de penser que le géant à la pelle mécanique puisse refuser de les aider à réaliser leur plan spectaculaire.

Chapitre V
Cinquième jour,
au matin

Le lendemain matin, les trois enfants, accompagnés par Francis et Arlène, arrivent sur le site avant le lever du soleil. Leurs bagages sont différents de ceux de la veille et leurs vêtements sont plus épais.

Ils sont anxieux. Si le conducteur de la pelle juge leur idée exagérée ou ridicule, ils n'auront plus aucun moyen de parvenir à leurs fins. Mme Loiseau déposera une plainte et le policier de Val-des-Bois leur défendra de franchir les rubans délimitant la propriété.

Près de la Douce, le géant les attend. Il les accueille avec un sourire. Il a couché à la belle étoile, c'est visible. Ses vêtements sont fripés, ses cheveux emmêlés. Mais il a allumé un feu, s'est préparé du café et s'est baigné dans le lac. Dans son visage aux traits marqués, ses yeux sont amusés.

— Et puis, comment comptez-vous agir aujourd'hui? demande-t-il aux enfants en offrant du café à Francis et à Arlène.

— Euh… commence Simon.

Maude l'interrompt:

— On voudrait d'abord savoir votre nom. Moi, je m'appelle Maude, voici mon frère Simon et notre cousine Camille.

— Enchanté. Moi, je m'appelle Florian.

Il donne la main à chacun, ainsi qu'aux parents.

Les présentations faites, le trio raconte à son nouvel ami l'idée folle qu'il a eue.

— On veut se tenir debout tous les trois dans votre pelle… commence Simon.

— … et que vous nous montiez dans les airs, poursuit Camille, vive.

Florian fronce les sourcils.

— Quelle drôle d'idée! Pourquoi?

— Quand on sera en haut, on ne touchera pas le sol de la propriété. Et personne ne pourra nous en chasser, explique Simon, fier.

Les trois montrent leurs sacs à dos à Florian.

— On a apporté de la nourriture pour la journée… précise Camille.

— ... et on est habillés contre la pluie! souligne Maude, convaincante.

Le géant penche la tête, silencieux. Il réfléchit.

Leur plan ne lui plaît pas. Il est l'employé de Mme Loiseau et doit lui obéir. Si elle lui ordonnait de descendre sa pelle, il ne pourrait pas la laisser dans les airs. Pire, il pourrait être obligé de quitter le terrain.

Les enfants se regardent, dépités. Leur meilleure idée, la plus folle, ne fonctionne pas.

Leur déconvenue ne dure pas longtemps.

— J'ai quelque chose d'autre à vous proposer, déclare Florian. Mais il faudra être très courageux.

— On n'a pas peur, affirme Camille.

— Bien!

Selon lui, le plus sensationnel serait d'occuper le haut des pins et d'y rester le temps qu'il faut. La propriétaire n'osera pas le forcer à abattre les arbres tant qu'ils s'y percheront. Et il n'y a pas de branches basses, personne ne pourra donc les rejoindre pour les déloger.

— Comment on monterait? s'informe Camille, tentée par la proposition.

Florian indique sa pelle mécanique.

— J'irai vous conduire.

— La propriétaire vous demandera de venir nous chercher, objecte Simon.

— Je peux refuser en prétextant que c'est trop dangereux, que je risque de vous blesser. Personne ne sait à quel point je suis habile, ajoute-t-il avec un clin d'oeil.

— Ils vont deviner que c'est vous qui nous avez juchés là, s'inquiète Maude.

— Ils y penseront, c'est certain. Mais j'ai perdu une des clefs de ma pelle il y a deux jours. Quelqu'un aurait pu la trouver, ou me la dérober. Cela veut dire que n'importe qui, y compris votre père, aurait pu vous soulever.

Les enfants, perplexes, tournent la tête vers Francis et Arlène qui, elle, n'est pas rassurée.

— Vous êtes certains de vouloir passer la journée là-haut, les enfants? Est-ce que c'est sécuritaire? Je ne mettrai pas votre vie en danger, même pour sauver un site amérindien!

Francis, après avoir réfléchi, propose:

— D'abord, il n'est pas nécessaire d'aller jusqu'en haut. Ensuite, il faudrait bien vous attacher au tronc et ne pas trop bouger.

Camille, frondeuse, affirme:

— J'ai toujours rêvé d'une maison dans les arbres! Toi aussi, hein, Maude?

La petite hésite. Elle n'est pas du genre à se jeter dans une rivière avant de connaître la force du courant.

Devant son hésitation, Arlène suggère:

— Francis restera ici, avec sa caméra, à surveiller ce qui se passe et à préparer son reportage. Moi, j'irai à l'hôtel de ville. Maude, accompagne-moi. Tu m'aideras à convaincre le maire Michaud. Il t'adore, tu le sais.

La fillette rougit, intimidée. C'est vrai que, avec Maude, le maire est très attentionné.

— D'accord, accepte-t-elle, soulagée.

De son côté, Simon rassure Francis:

— On se tiendra tranquilles, je te le promets!

— Parfait. À la moindre difficulté, on vous redescend, hein, Florian?

— Certain!

Il n'y a plus qu'à entreprendre la manoeuvre délicate et dangereuse d'aller porter deux enfants à une vingtaine de mètres dans les airs, en haut de deux pins centenaires.

* * *

Grand-papa Elphège a réfléchi. Hier, après le départ de Camille et de Francis, quand il a enfin perdu sa mauvaise humeur, son enfance lui est revenue en mémoire.

Il a été parmi les premiers habitants de Val-des-Bois. Il a parcouru le lac Caillé de long en large, a pique-niqué sur toutes ses berges, y a pêché souvent.

Il a constaté à maintes reprises que la région était habitée par des autochtones depuis longtemps, mais n'y a accordé aucune importance. Aujourd'hui, il le regrette.

Il aurait dû chercher à connaître ceux qui ont vécu sur ces terres. Il aurait sans doute appris beaucoup sur leurs coutumes et leur culture. Il aurait pu échanger des connaissances avec eux.

Aujourd'hui, sa petite-fille lui offre une chance qu'il serait idiot de ne pas saisir. À présent qu'il est vieux, il sait que chaque être humain participe à l'évolution de tous les autres.

C'est pour cela que, ce matin, il se rend à la réunion qu'il a passé la soirée d'hier à organiser.

* * *

Pendant ce temps, à l'hôtel de ville, Arlène et Maude arrivent au moment où se produit un brouhaha inhabituel. Elles sont happées par le maire Michaud, qui veut apprendre les dernières nouvelles.

Il est très embêté. D'un côté, plusieurs personnes lui ont téléphoné, demandant que la Ville protège le site découvert par Simon, Maude et Camille. De l'autre côté, il y a cette dame Loiseau, si gentille, qui veut construire sur le terrain un immeuble qui rapporterait de l'argent à la Ville.

Ce n'est pas à lui de trancher. C'est pourquoi il a convoqué les membres de son conseil municipal ce matin. La présence d'Arlène et de Maude est providentielle.

—Vous allez raconter l'histoire aux conseillers, ordonne-t-il sur un ton qui ne souffre pas d'opposition.

Arlène, surprise, accepte. De toute façon, elle et Maude sont les mieux placées pour relater les récents développements.

Un peu nerveuses, elles s'assoient dans l'antichambre de la salle du conseil en attendant que la réunion commence. Soudain, Maude se tourne vers sa mère et chuchote:

— Est-ce qu'il est pour le site, le maire?

Arlène reste bouche bée. La question se pose, en effet. M. Michaud tient une

réunion, certes, mais il n'a pas donné son opinion. S'il préférait, lui, un développement résidentiel à un site archéologique, cela aurait beaucoup d'influence sur les conseillers.

* * *

Le maire, contrairement à son habitude, n'accueille pas ses conseillers ce matin. Il s'est réfugié dans son bureau.

Il ne savait pas jusqu'à hier soir que les enfants dont la propriétaire veut se débarrasser sont Maude et Simon. Et que, sur le terrain, il y a des artefacts amérindiens des XVIIe et XVIIIe siècles. Cela change la donne.

L'oreille rivée au téléphone, il essaie de joindre Mme Loiseau. Si Arlène est là pour défendre le site archéologique, il faut que la dame y soit également pour promouvoir son immeuble. C'est la justice et la logique.

Il tape du pied, impatient. Que fait-elle donc? Où est-elle? Est-elle retournée à Montréal? Elle devrait allumer son cellulaire.

Il rouspète. Ah! ces gens de la grande ville! Ils ignorent que, dans les villages, les décisions se prennent rapidement. Que l'information circule vite, que l'opinion est fragile. Et surtout, que les enfants de Francis et Arlène sont aimés de tous.

Il compose le second numéro qu'il a en main. Rien. Puis recompose le premier pour la énième fois. Toujours rien. Il se résigne à laisser un message. En espérant que la dame ne l'écoutera pas trop tard.

Puis il a une idée. Il fait une dernière tentative.

* * *

Mme Loiseau, loin de son bureau et des bruits de Montréal, dort. Dans son lit de l'hôtel de la rue Commerciale de Val-des-Bois, elle repose comme une bienheureuse.

C'est l'effet du silence de la campagne, sans doute, de l'air frais et pur. Des marches forcées sur la grève et de la fatigue accumulée depuis des années.

Elle adore son travail, même s'il ne lui permet aucun loisir. Cependant, elle trouve de plus en plus difficile d'être seule pour administrer des immeubles, pour en construire de nouveaux.

Elle aimerait bien déménager ici, une fois la construction terminée. Prendre sa retraite. Aller jouer au golf trois fois par semaine et organiser de petits concerts à l'extérieur. Ou un festival, tiens! Ces villages sont dénués de manifestations culturelles, elle pourrait remédier à cela.

Chez elle, elle se réveille à six heures pile, d'elle-même. Elle est très étonnée quand le propriétaire de l'hôtel vient frapper à sa porte pour lui annoncer qu'il est neuf heures et que le maire la demande au téléphone.

* * *

Florian est un as.

Il actionne les commandes de son énorme machine comme s'il s'agissait d'une manette de jeux vidéo, avec une dextérité prodigieuse.

Camille et Simon, debout dans l'énorme pelle, ont été emmenés dans les airs avec virtuosité et délicatesse. Chacun s'est installé sur une branche haute, s'est attaché au tronc d'arbre et a suspendu son sac à dos contenant ses provisions.

Encore fallait-il choisir un endroit pour être bien en vue. Là-dessus aussi, Florian a été à la hauteur. Les vêtements rouge et jaune des occupants se détachent sur le vert profond des aiguilles de pin. D'en bas, on voit leurs pieds pendre et, si les enfants penchent la tête, on peut les dévisager. Distinguer leur sourire, même.

S'ils ont eu peur, ils ne l'ont pas montré. Pourtant, ils sont perchés à une vingtaine de mètres dans les airs.

Camille, pour blaguer, chante des chansons. Simon l'implore d'arrêter, lui dit qu'elle fausse tant qu'il perd l'équilibre et met sa vie en danger. Elle rit et recommence. Il rit à son tour et l'accompagne, en faussant pour rendre le jeu plus drôle.

Pendant que Florian replace sa pelle mécanique à l'endroit où elle était la veille, Francis prépare sa caméra.

Il est loin de se douter qu'au village Arlène et Maude s'apprêtent à mener une bataille, peut-être la plus importante de toutes.

Chapitre VI
Dernière manche

Sur le terrain, deux heures après, Simon et Camille ont cessé de chanter et se contentent de faire le guet. Ils sont fatigués, la branche est inconfortable et le tronc d'arbre qui leur sert de dossier est rugueux. Francis, d'en bas, les taquine pour leur remonter le moral.

— Voulez-vous des coussins?

Florian, une fois sa tâche accomplie, s'est volatilisé. Simon et Camille l'ont suivi des yeux durant un moment, l'ont aperçu qui s'installait derrière une butte, prêt à répondre à leur appel.

Drôle de type. D'où vient-il? Pourquoi ne l'ont-ils jamais rencontré auparavant à Val-des-Bois? Ils l'auraient remarqué. On ne voit pas souvent un homme de cette taille.

Ils remettent à plus tard la réponse à ces questions. Pour l'instant, ils affrontent le vide et l'inaction. Pourquoi Maude et

Arlène ne sont-elles pas revenues? Pourquoi leurs amis ne sont-ils pas au rendez-vous? Pourquoi grand-papa Elphège ne leur a-t-il pas donné de nouvelles?

* * *

Arlène et Maude patientent encore.

Atterrées, elles ont vu Mme Loiseau entrer dans la salle du conseil avant elles. Le maire, nerveux, leur a expliqué que la dame avait le droit de défendre son projet.

Vrai. Mais pourquoi passe-t-elle en premier?

Une heure plus tard, elle est sortie, souriante, détendue, et a échangé une chaleureuse poignée de main avec le maire. Polie, elle a adressé un signe de tête à Maude, puis s'est enfuie avec un air de victoire. Maude tremblait d'indignation.

— C'est elle qui va gagner!

— Pas si nous avons de bons arguments, a affirmé Arlène.

Maude a ouvert des yeux ronds.

— Tu m'emmènes avec toi dans la salle?

— Bien sûr, tu seras plus convaincante que moi. C'est toi, Simon et Camille qui

avez fait la découverte, qui avez pensé à un site archéologique. Tu vas t'exprimer au nom de tous les enfants de Val-des-Bois. Vous avez le droit de choisir votre futur.

Le maire a ouvert la porte.

— C'est votre tour, Arlène.

Maude a suivi sa mère sans que M. Michaud s'y oppose. La petite blonde au visage déterminé se battra pour le projet, il aurait dû s'en douter. Aujourd'hui, elle a l'air angoissée. C'est normal. Le combat est un peu rude pour une enfant de son âge.

En attendant qu'elle et sa mère s'installent en face des conseillers, le maire court donner un dernier coup de fil. Quand on a un village à diriger, il faut tout prévoir, même le pire!

* * *

Sitôt après son départ de l'hôtel de ville, Mme Loiseau s'est rendue sur son terrain. Elle a descendu de sa jeep, a aperçu Francis et s'est dirigée vers lui.

— Les enfants ont enfin compris le bon sens et ne sont pas venus. Je construirai en paix.

Deux appels sonores lui répondent. Du haut de leurs arbres, Simon et Camille lui envoient la main.

— On est là!

Elle rougit, blêmit, bafouille.

— Ah! les gredins!

Elle tourne la tête à droite et à gauche, cherchant on ne sait quoi. Elle recule et recule encore, pour mieux évaluer la situation. La pente et les cailloux lui font perdre l'équilibre. Sur ses talons, elle est entraînée de plus en plus vite vers le lac. Si vite qu'elle ne peut pas s'arrêter.

Francis la voit trop tard pour la rattraper. Elle aboutit dans l'eau, où elle enfonce jusqu'aux chevilles, jusqu'aux mollets.

Simon et Camille, de là-haut, suivent la scène avec un intérêt considérable. Ils éclatent de rire en même temps que la dame tombe dans l'eau avec un grand plouf.

Francis court jusqu'à elle, penaud.

— Excusez-moi, c'est arrivé trop vite!

Il se retient lui aussi pour ne pas rire. La propriétaire lui jette un oeil furieux.

Elle se relève de peine et de misère, enlève ses souliers qu'elle lance au bout de ses bras sur la grève. Ses cheveux sont écrasés sur sa tête. Elle a l'air d'un épagneul détrempé.

En bas de nylon, évitant le plus possible les cailloux pointus, elle revient péniblement sur la berge.

— Je vais me changer, bafouille-t-elle.

Et, clopin-clopant, soutenue par Francis, elle rejoint l'arrière de son camion, en sort une couverture dans laquelle elle s'enroule.

— Bonne idée, ça absorbera l'eau, commente Francis, gentil. Je me présente, je

suis le père des enfants. Je suis désolé pour tout ça.

Mme Loiseau, touchée, lui sourit.

— Ce sont des temps difficiles pour tous.

Elle ne se doute pas à quel point!

* * *

Au poste de police de Val-des-Bois, l'agent Dumais est stupéfait. Il sait que des choses se passent à la jonction de la Douce et du Caillé, en face du village. Il l'a vu à la télévision. Il ne croyait pas, cependant, que la situation pourrait tourner au tragique.

Le maire lui a demandé d'aller faire un tour là-bas et de se préparer à agir au cas où il y aurait plus d'embêtements!

Il soupire. Il aime énormément Simon et Maude, ainsi que Camille qu'il a rencontrée à quelques reprises. Il détesterait être celui qui arrête le sympathique trio.

Toutefois, s'il le faut, il accomplira son devoir.

Il choisit trois paires de menottes, les plus petites, et se rend à sa voiture. Sans se précipiter. Après tout, il ne s'agit pas de sauver des vies.

Mme Loiseau avait l'intention d'aller à l'hôtel pour troquer ses vêtements mouillés contre des secs, mais elle n'en a pas le temps. Son terrain est envahi à la vitesse de l'éclair.

D'abord, c'est l'arrivée des enfants. À pied, à vélo ou conduits par leurs parents ou par des amis, ils franchissent par dizaines les rubans qui délimitent le terrain.

Petits ou grands, ce sont des élèves de toutes les classes de l'école du village. Ils forment une bande hétéroclite. Munis de sacs à dos et de couvertures, ils s'installent sans demander la permission. Certains portent des pancartes sur lesquelles ils ont inscrit, en grosses lettres noires:

ON VEUT SAUVER NOTRE HISTOIRE!

La propriétaire, découragée, essaie de les chasser. C'est inutile. Ils sont polis avec elle et restent assis.

Ensuite, c'est l'invasion d'un groupe de gens âgés menés par Elphège en personne. Certains s'installent sur des bancs

pliables, d'autres s'écrasent au sol en grimaçant à cause des cailloux.

Poli, Elphège se présente à la propriétaire:

— Je suis le grand-père des trois enfants. J'ai rassemblé des gens qui de-
vaient louer un appartement à votre résidence. Ils promettent de vous suivre si
vous décidez de construire ailleurs, chère
madame.

La propriétaire, étonnée, bouleversée
de toute cette agitation, ignore quoi répondre. Elle balbutie quelques mots in-
compréhensibles, puis trouve un dernier
argument.

— J'attends la décision du conseil. La
loi est de mon côté, vous le savez!

* * *

À l'hôtel de ville, la partie n'est pas ga-
gnée. Maude et Arlène se défendent bec
et ongles.

— Nous, les enfants, on veut préserver
le site. On veut apprendre de quelle façon
les Malécites vivaient, explique Maude.

— Cette richesse-là appartient aux vil-
lageois, renchérit Arlène. Il faudrait de-

mander leur opinion, organiser un vote, peut-être.

Les conseillers hésitent. Les uns ne sont pas intéressés à l'archéologie, les autres seraient gênés de détruire un bien si rare. Le maire, partagé lui aussi, discute avec sérieux et ouverture d'esprit.

Pendant ce temps, les appels téléphoniques ne cessent d'affluer à la mairie. Bientôt, le conseil en entier est au courant de la manifestation pacifique des enfants et des personnes âgées sur le terrain.

C'est à cet instant que les conseillers de Val-des-Bois passent au vote. Émus, conquis, ils décident de protéger le site découvert par Maude, Simon et Camille.

* * *

Au bord du lac, la nouvelle se répand comme une traînée de poudre. Quand Maude et sa mère y retournent enfin, il y règne une activité joyeuse.

Sous l'oeil des caméras, Florian va chercher les héros du jour au faîte de leur arbre respectif. Au moment où ils touchent le sol, souriants et heureux, ils sont applaudis avec chaleur.

À la fête qui suit, même Mme Loiseau est invitée. Quant au policier Dumais, il a vite caché les menottes dans le coffre de sa voiture. Inutile de dire qu'il était très content de ne pas avoir à s'en servir!

Chapitre VII
La danse de Florian

Le maire est un homme civilisé. Dès le lendemain, il a proposé à Mme Loiseau un autre terrain en échange du sien. Elle a accepté. Elle démarrera sous peu des travaux sur le nouvel emplacement et Florian les dirigera. Les personnes âgées de Val-des-Bois auront leur résidence sans délai.

Elle regrette un peu le paysage à la jonction du Caillé et de la Douce, mais elle se console en admirant la montagne du Fourneau, située juste en face.

Après quelques études, le site découvert par Maude, Simon et Camille s'est révélé le plus intéressant à des kilomètres à la ronde.

Arthur, archéologue, historien et ami de Francis, a confirmé que c'est le lieu où les Malécites vendaient le chert aux tribus avoisinantes. Voilà pourquoi on y trouve autant d'artefacts enfouis dans le sol.

Les conseillers de Val-des-Bois se félicitent encore de leur décision. Presque tous les jours, ils constatent que la réputation de Val-des-Bois s'étend. Le village deviendra une destination recherchée par tous ceux qui veulent connaître la vie des premiers habitants de l'Amérique.

* * *

C'est le soir, trois semaines après «les événements», comme on les appelle à Val-des-Bois.

Sur le site où des travaux d'excavation ont commencé, six personnes sont assises autour d'un feu. Elles ont eu une permission spéciale d'Arthur pour tenir cette soirée. Il s'agit de Maude, de Simon, de Camille, de Francis et d'Arlène. Et de Florian, qui les a invités.

Le géant voulait remercier ses amis. Ils ont protesté, alléguant que ce sont eux qui lui doivent une fière chandelle, mais il a répliqué:

— Venez et je vous expliquerai pourquoi.

Ils se sont donc amenés, intrigués. Qu'est-ce que Florian a en tête?

Il attend que les étoiles parsèment le ciel et que la Lune éclaire de sa lueur bleutée les eaux de la Douce et du Caillé. Le clapotis des vagues accompagne les coassements de grenouilles, le vent chante dans les branches.

Florian ranime le feu et demande le silence. Il se recueille un moment, debout près des flammes.

Il se met à taper le sol doucement, puis de plus en plus fort. En même temps que sa danse, il entame une chanson, avec hésitation d'abord, une mélopée qui provient du plus profond de sa mémoire. Le chant se fraie un chemin jusqu'à sa gorge, s'enfle, emplit le ciel.

C'est une mélodie amérindienne, entendue de sa mère malécite. Ce soir, il oublie qu'il a été élevé par un père blanc pour n'être que le fils de cette mère autochtone, morte quand il était enfant.

Son chant, il le dédie à ses ancêtres et à tous ceux qui ont vécu ici des centaines, des milliers d'années avant l'arrivée des Blancs.

Voilà pourquoi il voulait remercier Maude, Simon et Camille. Ils lui ont redonné son histoire, ses ancêtres, sa fierté.

Autour du feu, cette nuit-là, trois adultes et trois enfants dansent et chantent, pour partager leur foi en l'avenir et leur bonheur de se connaître mieux.

Table des matières

Achevé d'imprimer
sur les presses d'AGMV Marquis